AF607319

Primera edición, abril de 2018

info@westindies.eu

Edición, corrección y maquetación: Colectivo Fut i Makak

ISBN: 978-9949-88-409-4
Impreso en Masquelibros
Impreso en España – Printed in Spain

A mi señora madre,
que aún sigue riéndose con estas cosas.

Las apasionantes lecturas del Sr. Smith

A. Ferrer

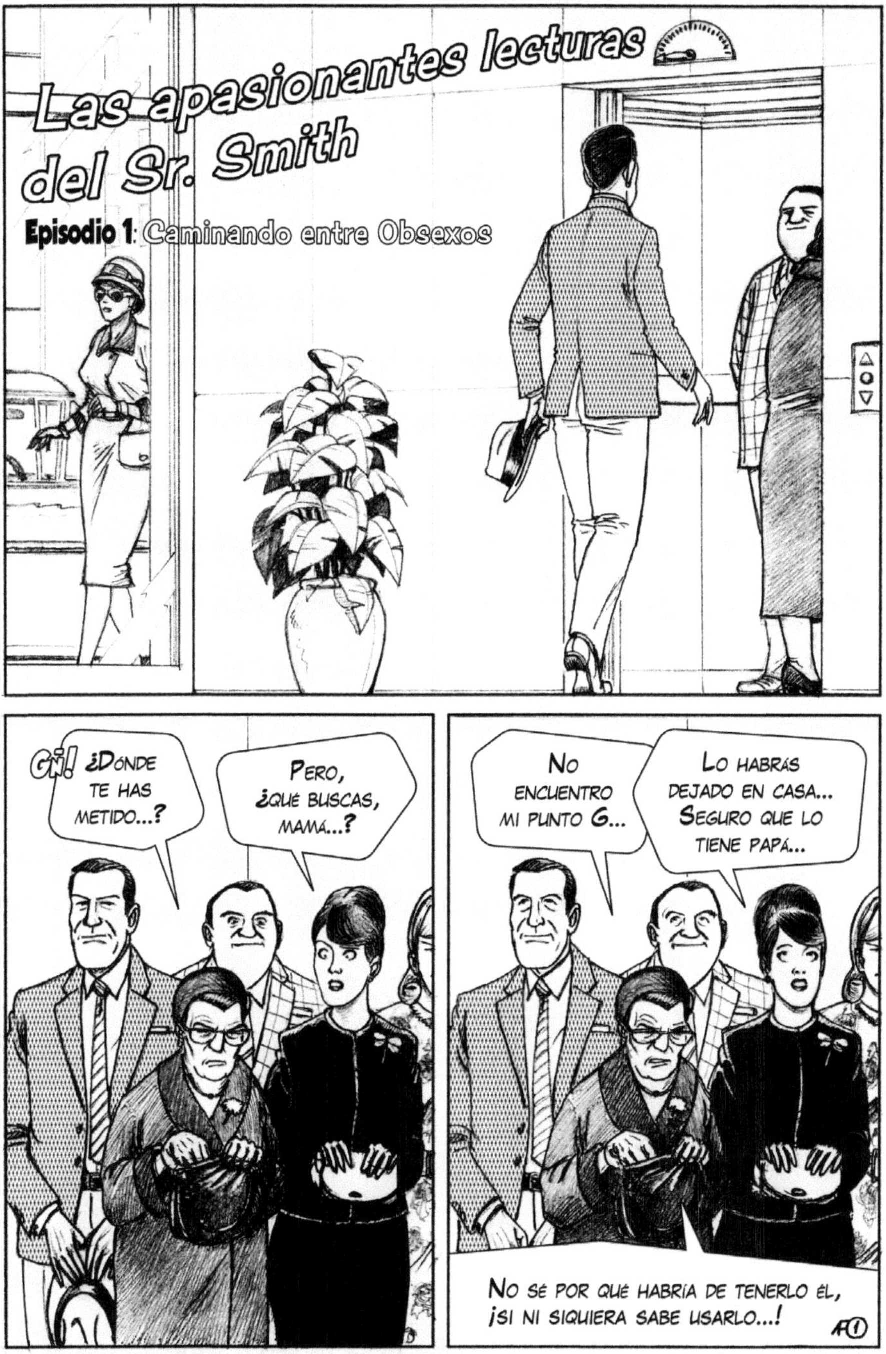

Las apasionantes lecturas del Sr. Smith

Episodio 1: Caminando entre Obsexos

EL SEXO ORAL PUEDE CONSIDERARSE UNA ACTIVIDAD PRELIMINAR AL COITO, AUNQUE FRECUENTEMENTE PROVOCA POR SÍ SOLA EL ORGASMO...

A MÍ ME PASA SIEMPRE... ¡ES HABLAR DE SEXO Y AAAAAH!

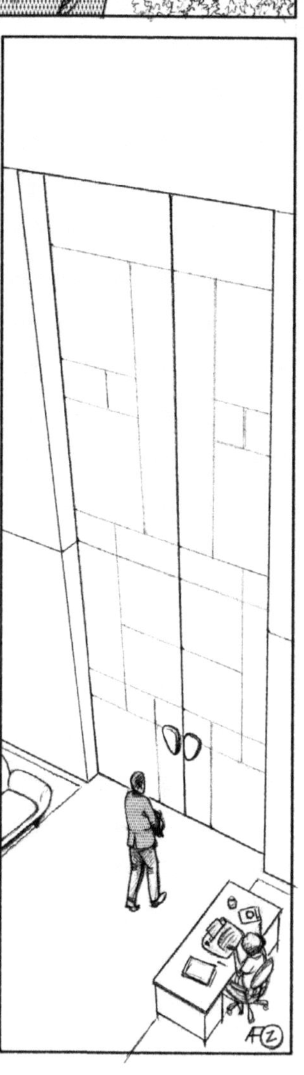

¡Lo cual me preocupa tremendamente...! ¡No hay día en que no imagine cómo la competencia me lo arrebata, Smith...! ¡Esas malditas ratas...!

¿Cumplirá el Sr. Smith con las expectativas de la Sra. Smith...? ¿Habrá aprendido algo de sus lecturas...? Lo sabremos en el siguiente episodio:

"El palito mas corto"

Resumen del capítulo anterior: El Sr. Smith se revela como un alumno aplicado y así se lo demuestra a la Sra. Smith... ¡Vaya que sí...!

Episodio 2:

El palito más corto

¡No sean mal pensados...! Es un titulo de lo más inocente...

¡Tigre mío...!

¡Walter, esta noche te has portado como un auténtico campeón...!

¡La cama parecía la falla de San Andrés...! ¡Qué ímpetu...! ¡Qué energías...! ¡Estabas desencadenado...!

¡Basta...!

¡Esto ha sido un hecho puntual...! En cuanto lea algún manuscrito sobre jardinería volveré a ser yo mismo...
Sí, seguro...

¡Buenos días...! ¿Qué es eso...?
Nos estábamos jugando las lecturas de hoy al palito más corto...
Pero, ahí no veo más que un palito...
Es que, como llegas tarde...
Hmmm...
Vaya, el más corto...
Eh!
Mala suerte... Toma...
Stump!
¿Qué...?
¿Esto es una broma...? ¿"Efectos beneficiosos de la castración en los gatos domésticos"...?
No es un tratado sobre jardinería, pero te va a provocar el mismo resultado...
Clas! Clas!
Riiing! Riiing

¿Dejará el Sr. Smith de parecer un tomate y recuperará su color pálido natural...? ¿Por qué motivo le honra con su visita el Sr. Presidente...? ¿Querrá subirle el sueldo...? Lo sabremos en el siguiente episodio:

"Vaya mierda de libro"

Episodio 3: Vaya mierda de libro
Resumen: El Sr. Smith ha vuelto a caer en una trampa urdida por sus compañeros... Tal vez el Sr. Presidente lo ayude a salir de ese entorno hostil...
¡Smith, necesito que me dé su opinión sobre este manuscrito...! Quiero que sea muy puntilloso y que me lo diseccione a conciencia...
PRIVATE EYE

Me viene recomendado y ya sabe como son estas cosas...
Sí, señor Presidente...

Confío en usted y en su buen criterio, Smith...

JA!
¿Qué os parece...? ¡Un encargo directo del Presidente...! ¿Y a quién...? ¡A mí...! ¿Qué...? ¿Cómo os habéis quedado...?
HMMM...?

¡Qué suerte, Walter...! ¡Lástima que el manuscrito sea del sobrino del Presidente...!
JA JA! JA
¡Reza para que no sea una castaña...!
JI JI! JI
GLUPS...!

"Detective Privado"
Capítulo 1

La tarde moría lánguida como la llama de una vela que se apaga al final de su cabo encerado. El teléfono no paraba de quejarse mudamente. Nadie le llamaba desde algún otro aparato, público o privado, de monedas o de fichas, de pared o de sobremesa.
Y entonces lo tuvo claro... Aquella tarde ningún cliente iba a solicitar los servicios de un detective privado. Y menos si ese detective se llamaba Jack Edwards. Así que siguió dándole a la papiroflexia.

Capítulo 3

La chica no estaba nada mal. Vestía discretamente, pero con elegancia. Un envoltorio adecuado para aquel dulce caramelo. Pero a Jack Edwards hacía tiempo que su dentista le tenía prohibidas "las chuches". "Demasiado azúcar, Jack..."
Y entonces la chica puso las cartas sobre la mesa. No era una frase hecha. Puso sobre la mesa las cartas anónimas que la chantajeaban.

Capítulo 7

Rudy "Puños de Hierro" hacía honor a su nombre. Jack iba a lucir una cara nueva gracias a sus mimos. Si nadie lo remediaba, acabaría sorbiendo la comida con una pajita.
Y entonces su jefe paró el tratamiento facial. Parecía suficiente aviso para que no volviese a meter el hocico en madrigueras ajenas. "Okay, mensaje recibido... Ahora, dejen que pierda el conocimiento, gracias."

Capítulo 15

Aunque estaban atados, la chica se apretó aún más contra Jack Edwards. Tanto que sus sudores se mezclaron a través de sus escasas vestimentas. Si iban a morir que fuese bien pegados.
Y entonces, cuando el final estaba cerca, concretamente al final de los cañones de aquellas ametralladoras, la puerta del garaje se vino abajo derribada por los policías que entraron en tromba. Nunca se habían alegrado tanto de ver a los "pies planos". Lo mismo que los bajos de Jack Edwards se alegraban de estar atado a la chica.

¿Se sentirá el Sr. Smith como un pelele, otra vez...? ¿Es la fuerza de la costumbre un anestésico...?
Lo sabremos en el siguiente episodio: "¿Colt o Smith & Wesson?"

Resumen: El Sr. Smith espera su oportunidad para devolver el golpe. Hoy Silverstone Books acabará oliendo a pólvora.

Episodio 4:

¿Colt o Smith & Wesson?

¿Tendré que explicar el juego de palabras? Smith y Wesson, el Sr. Smith... ¿Lo pillan...?

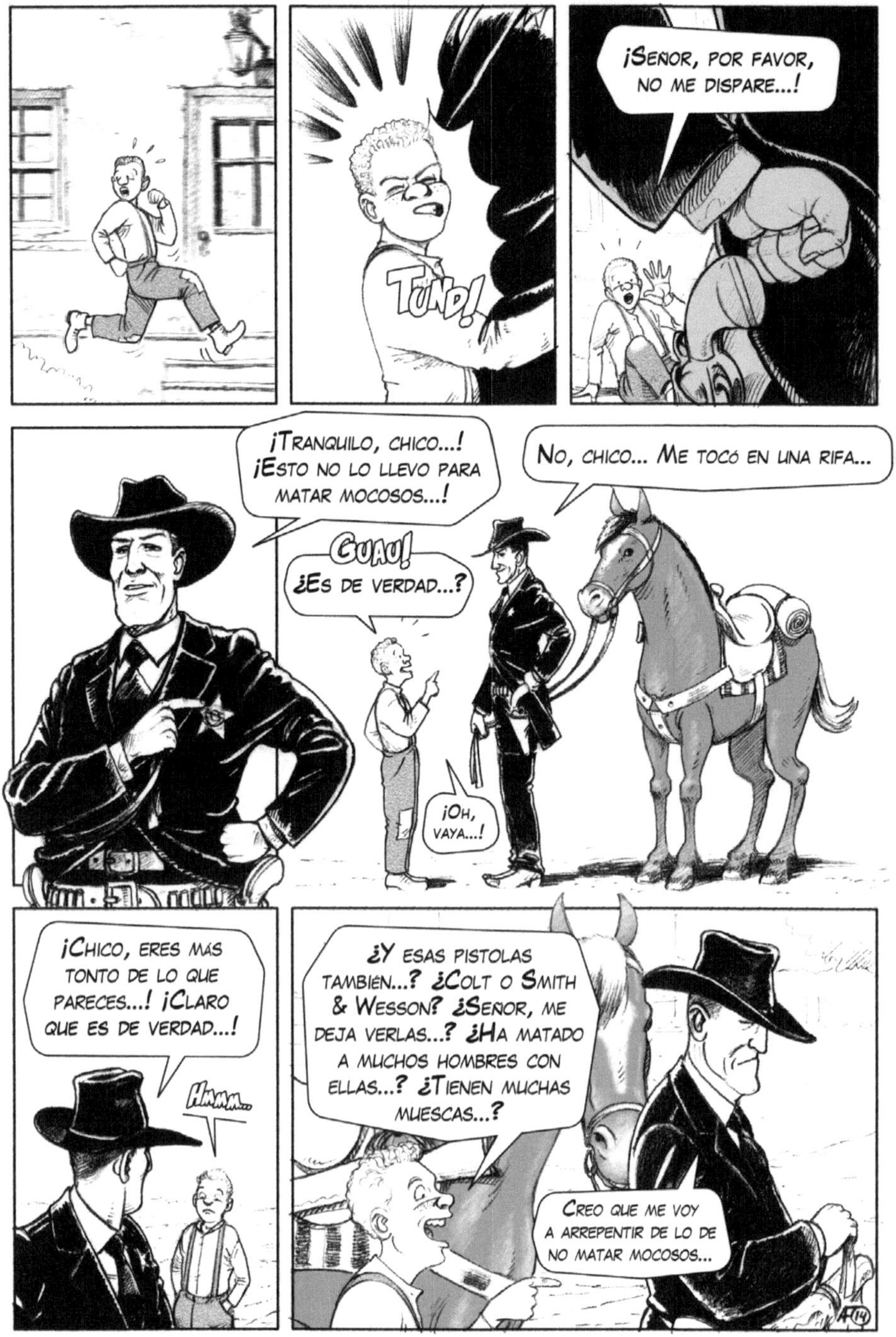

¡Tranquilo, chico...! ¡Esto no lo llevo para matar mocosos...!

Guau! ¿Es de verdad...?

No, chico... Me tocó en una rifa...

¡Oh, vaya...!

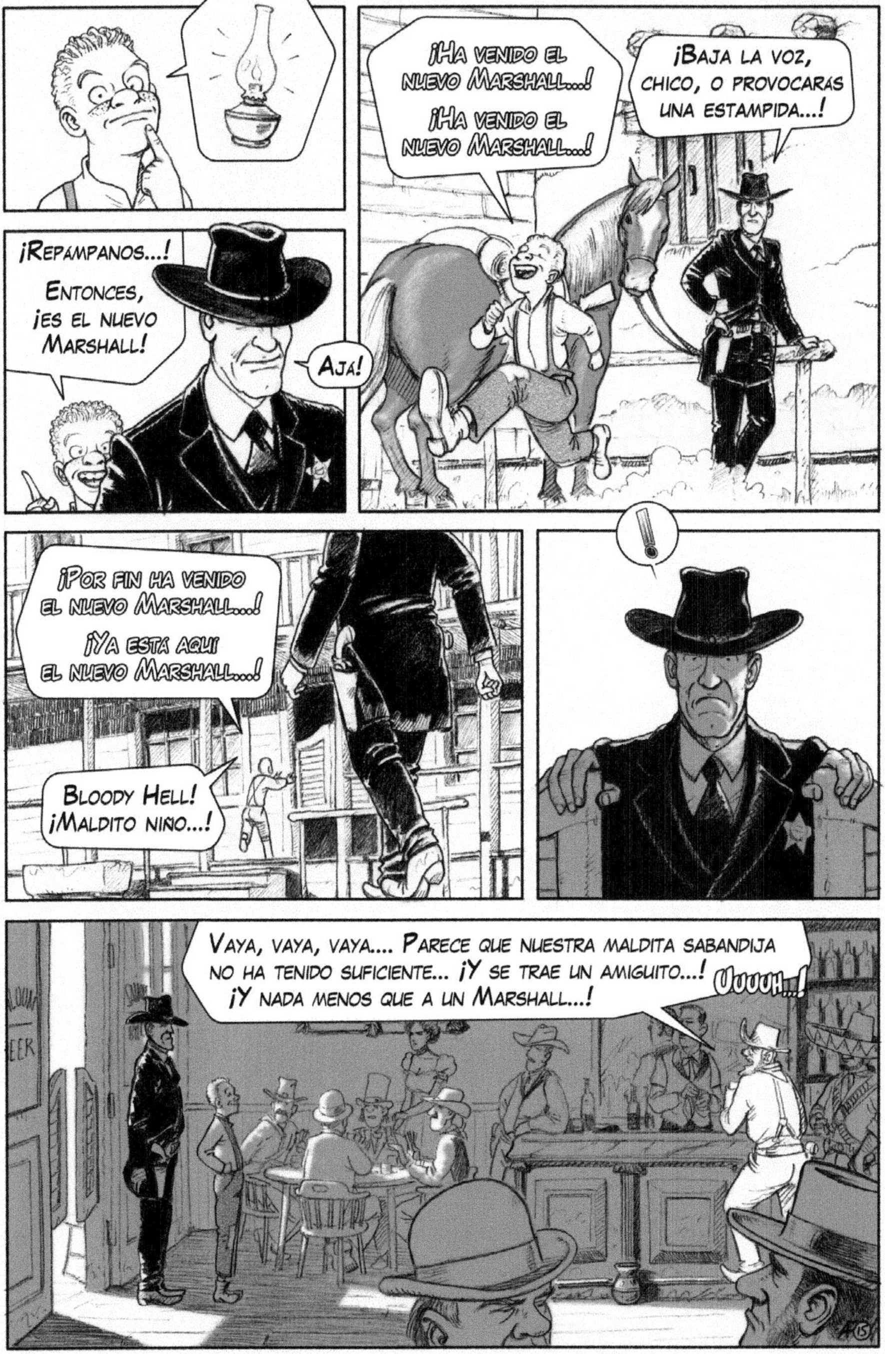

¡REPÁMPANOS...!
ENTONCES, ¡ES EL NUEVO MARSHALL!
AJÁ!

¡HA VENIDO EL NUEVO MARSHALL...!
¡HA VENIDO EL NUEVO MARSHALL...!
¡BAJA LA VOZ, CHICO, O PROVOCARAS UNA ESTAMPIDA...!

¡POR FIN HA VENIDO EL NUEVO MARSHALL...!
¡YA ESTA AQUI EL NUEVO MARSHALL...!
BLOODY HELL! ¡MALDITO NIÑO...!

!

El nuevo Marshall se agarra bien los machos. Sabe que en ocasiones como esta es donde un hombre demuestra que los tiene bien puestos. Fríamente, analiza a sus oponentes. Para romper el grupo, primero deberá acabar con quien aparenta ser su jefe. Ya solo le queda ser el más rápido en desenfundar.

EL SR. SMITH CORRE A ESCONDERSE A SU AGUJERO. ALLÍ PODRÁ LAMERSE LAS HERIDAS, UNA VEZ MÁS... ¿CONSEGUIRÁ ALGÚN DÍA DEJAR DE SER UN MUÑECO...? TAL VEZ LO DESCUBRAMOS EN EL PRÓXIMO CAPITULO:

"GIGANTE"

Resumen: SILVERSTONE BOOKS SIGUE SIENDO UN LUGAR LLENO DE MAJADEROS Y ARDILLAS TREPADORAS. POR ESTA VEZ SE HAN SALVADO DE LA IRA DEL SR. SMITH...

¿De qué me sirven sus gráficas...? ¿Cree que vamos a frenar a los rusos con montañas de papeles...?

Hmmm...
♪
Por favor, compruebe de nuevo la medición del compuesto 526... Algo no marcha bien...
¡Profesor, los niveles se disparan peligrosamente...!
¡Paren el ensayo...!
¡Los controles no responden...!
¡Esto va a explotar...! ¡Vamos a morir...!
¡No he conocido varón...!
¡Rápido, evacuen el laboratorio...!
Meec! Meec! Meec! Meec! Meec! Meec! Meec! Meec! Meec!
¡Pónganse a cubierto...! ¡Yo intentaré retrasar lo inevitable...! ¡Apresúrense, repámpanos...!
¡Es un héroe...!
¡Un modelo para todos...!
¡Es tan guapo...!
Gñ!
EXIT
FSHHHH!
AR19

¡Vuelve en sí...!
¡Profesor, ¿qué tal se encuentra...?!

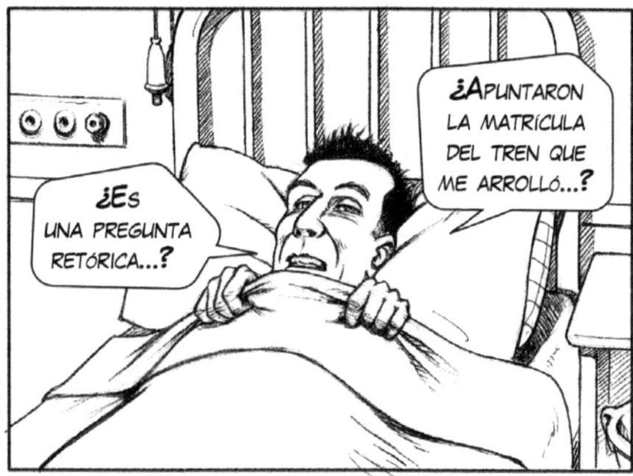
¿Apuntaron la matrícula del tren que me arrolló...?
¿Es una pregunta retórica...?

Es un milagro que sobreviviese...
¿Y los análisis no revelan ninguna anomalía...? Vaya, vaya...

El proyecto ha sido cancelado... Los laboratorios quedaron hechos unos zorros...
¡Lástima...! ¡Me hubiese gustado repetir el ensayo...!
Vayase a casa, Profesor, y descanse... Se merece unas vacaciones...

¿Querida, estás segura de que estos son mis zapatos...?

CARIÑO, NO PRETENDO ASUSTARTE, PERO CREO QUE MI CUERPO ESTÁ AUMENTANDO DE TAMAÑO ANORMALMENTE...
LIFE

¿SEGURO?, PORQUE "ESO" YO TE LO VEO COMO SIEMPRE...
THE ANTARCTIC
NEW ERA IN GOVERNMENT

NO ME ATA EL PANTALÓN... LA CHAQUETA NO ME DA DE SISA...
HMMM
BUF!

¡CIELOS, TIENE RAZÓN...! ¡O SU SASTRE ES UN DESASTRE O USTED ESTÁ CRECIENDO...!
AUNQUE LO DEL SASTRE LO DESCARTO... ¡NO USARÍA UNA TELA DE TAN BUENA CALIDAD...!
TOQUEN, TOQUEN...

!
SEÑORES, TENEMOS UN PROBLEMA...
¡VAYA QUE SÍ...! ESTE TRAJE YA NO TIENE ARREGLO...

¡EL PROFESOR ES EL FUTURO DEL NUEVO ORDEN MUNDIAL...!
¡IMAGINE UN EJÉRCITO DE GIGANTES...! ¡TENEMOS QUE "CONVENCERLE" PARA QUE COLABORE CON NOSOTROS...!
¡GENERAL, EL PROFESOR HA ESCAPADO...!
SHIT!

¿Crecerá el Sr. Smith con apasionantes lecturas como esta...? No hace falta que contesten, era otra pregunta retórica... Aunque puede que encuentren una respuesta en el siguiente episodio: "Pellízcame, por favor..."

Episodio 6: Pellízcame, por favor...
Resumen: El Sr. Smith sigue conservando su tamaño. Salvo que esta noche una parte de su cuerpo se descontrole anárquicamente...
Y este, ¿de qué trata...?
Ufología
¿Ufoque...?
¿Platillos volantes...?
Hmmm...
¡Vaya decepción...!
Deberías traerte más libros como el de la otra noche...
Felices sueños...
Vale...
Si la cosa se anima, avísame...
"Desde los sucesos de Roswell, los avistamientos en el desierto de Nuevo México se han multiplicado exponencialmente, pese a los esfuerzos de las autoridades militares por silenciarlos."
¡Vaya camelo...! Luces en el cielo, hombrecillos grises... ¡La gente está cada día más loca...! Seguro que todo tiene una explicación lógica...
Lógica, por supuesto...
¿Qué has dicho, cariño...?
Z
Sr. Smith, agárrese los machos...

ZOOOM!

¡Canastos...!
¡¿Qué ha pasado...?!
¿Dónde estoy...?

Sr. Smith, no se altere, no se resista...
Coopere, Sr. Smith... Nadie quiere hacerle daño...

¡¿Quiénes son...?! ¡¿Cómo saben mi nombre?! ¿Por qué estoy aquí?

¡¿Y desnudo?!

Sr. Smith, tiene la suerte de haber sido elegido aleatoriamente, junto con otros terrícolas, para formar parte de la recogida de muestras sobre su mundo...
¡Esto es otra pesadilla...! ¡Otro mal sueño por esas lecturas horribles...!

No divague, Sr. Smith... Le necesitamos concentrado en el experimento científico que le ha sido asignado...
¡Tengo que despertar, tengo que des-per-taaaaar...!

Debe unirse a otro individuo en lo que ustedes definen como cópula o ñigo-ñigo...
Su pareja inicial respondía al nombre de Castro, Fidel...
Pero hemos decidido enviarlo a "Registros Sonoros..."
Bla, bla, bla...
Im-perialI-tas, bla, bla...

Buaaaa!
Vamos, vamos, no dramatice, Sr. Smith...
¡Tengo que despertar, tengo que despertar...!

El nuevo ejemplar para la muestra responde al nombre de Monroe, Marilyn...
!

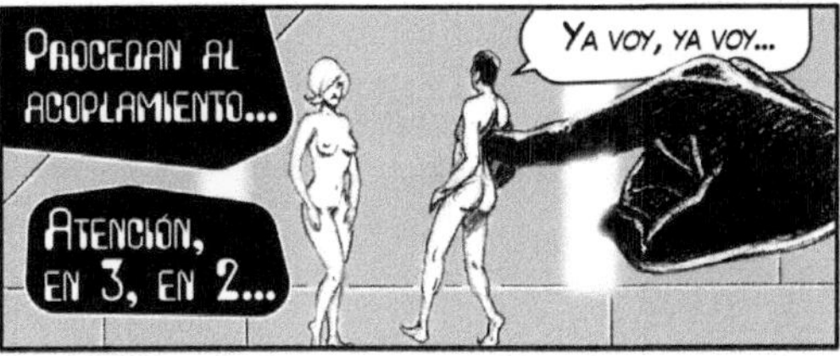
Procedan al acoplamiento...
Ya voy, ya voy...
Atención, en 3, en 2...

En 1...
¡Esto sí debe ser real...! ¡Pellízcame, por favor...!

AAAAY!

¿Tendrá motivos para preocuparse la Sra. Smith? ¿Acabará por sentir celos de las lecturas del Sr. Smith? ¿Es el Sr. Smith un sátiro...? La respuesta en el próximo episodio:

"Orgullo y prepucio"

Episodio 7:

Orgullo y Prepucio

¿Será posible...? ¡Vaya titulo...!

Mi familia cuenta con que, este verano, nos honre con su presencia en nuestra casa de Aberdeenshire, allá en Escocia...

Se sentirán muy halagados de volver a tenerla como invitada. Y, por supuesto, yo estaré encantado si acepta... Sí, mucho...

¡Oh, vaya, parece que hoy a su tía le cuesta seguir nuestro paso...!
¡Espérenme, espérenme...!
Arf! Arf!

Hmmm...
¿Le apetece que nos sentemos, señorita Jane...? Desde aquí tenemos unas vistas estupendas... Y hace una día espléndido, con este sol, este cielo... Todo azul...

HMMM...

¡OH, SEÑORITA JANE, NO PUEDO VIVIR SIN ESTAR CERCA DE USTED...! ¡MI EXISTENCIA NO TIENE SENTIDO SI NO LA TENGO A MI LADO...! ¡SEÑORITA JANE, SI SIENTE LO MISMO ¿ACEPTARÍA CASARSE CONMIGO...? ¡POR FAVOR, DIGA QUE SÍ...!

¿Podrá el Sr. Smith dominar los bajos instintos que asaltan a su álter ego? ¿O es su álter ego quien domina al Sr. Smith? Lo sabremos en el siguiente capítulo:

"Agente Doble"

Otro resumen mas: El Sr. Smith ha vuelto a caer... Como intuía, la lectura de novelitas románticas ha degenerado, en manos de su álter ego, en lecturas calenturientas...

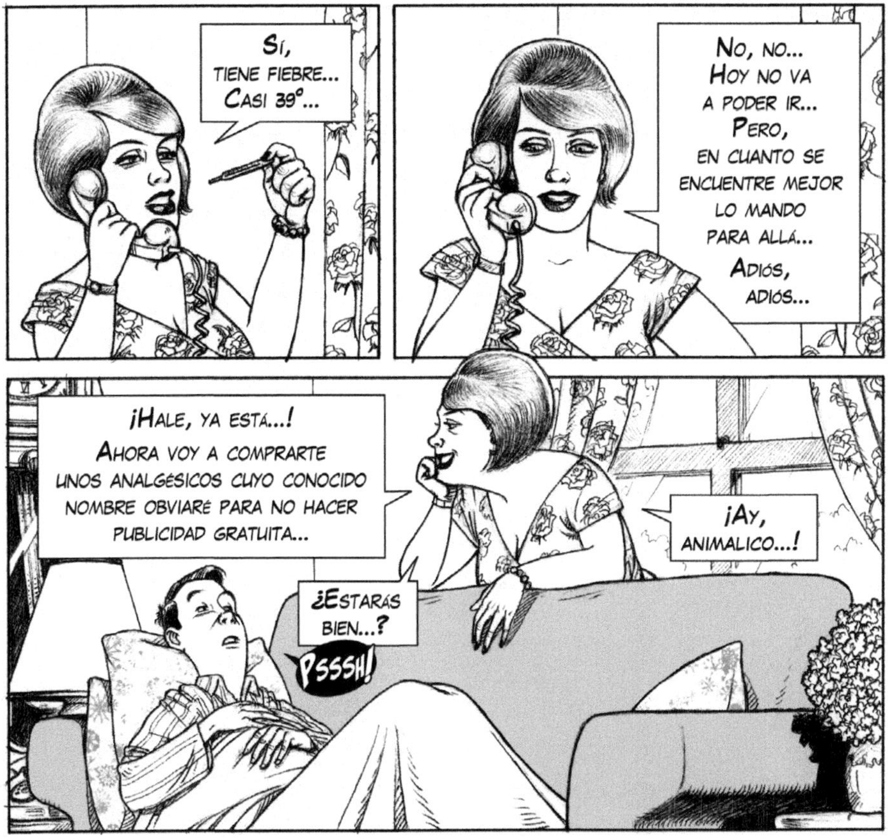

Sí, tiene fiebre... Casi 39°...

No, no... Hoy no va a poder ir... Pero, en cuanto se encuentre mejor lo mando para allá... Adiós, adiós...

¡Hale, ya está...! Ahora voy a comprarte unos analgésicos cuyo conocido nombre obviaré para no hacer publicidad gratuita...

¡Ay, animalico...!

¿Estarás bien...?

PSSSH!

Episodio 8:

Agente Doble

¡Oh, vaya, ¿ahora una de espías...?! ¡Por fin algo serio...!

YOU ARE LEAVIN
THE AMERICAN SECT
ВЫ ВЫЕЗЖАЕТЕ И
АМЕРИКАНСОГ СЕКТО
VOUS SORTEZ
SECTEUR AMERICA
ERLASSEN DEN AMERIKANISCHEN S

Toc
Toc
Toc
Toc

Tranquila, no me ha seguido nadie...

Toma, aquí tienes la infoRRmación... AhoRRa, maRRchate...

¡Eh, ¿pero a qué viene tanta prisa...?!
Este nuevo método de contactaRR me incomoda sobRRemaneRRa...

Si salgo tan pronto, los vecinos podrían sospechar... Además...
Hmmm...

En la despensa debe haber una botella...

No ha estado mal, ¿eh...?
Psssh!

¡Pobrecilla...! ¡Seguro que le gustaría repetir, pero no se atreve a pedírmelo...!
Imbécil, memo, ngRReido, chulo, ulante, aRRogant abRRonazo, lelo, amaRRacho, idiota melón, gilipoll

Hmmm...
¿Por qué sigues trabajando para el K.G.B.?
¿Como?
¡No sé de que me hablas...!

Estamos al corriente de que eres agente doble... ¡Vamos, no me pongas caras...! ¡No soy bobo...!
¡Eso es RRdiculo...!

¡CRReía que había quedado claRRa mi lealtad...!
¡JodeRRR...!

¿No os siRRve como pRRueba toda esa infoRRmación que os he suministRRado duRRante años...?

BAH! OBVIEDADES, VERDADES A MEDIAS... LAS MISMAS PAMPLINAS QUE NOSOTROS TE HEMOS PROPORCIONADO ÚLTIMAMENTE PARA TUS VERDADEROS JEFES...

¿ERRAN TODO MENTIRRAS...?
SÍ, PERO QUE NOS HAN SERVIDO PARA IR CERRANDO EL CERCO SOBRE TI...

¡VAYA CONTRRARRIEDAD...! ¡HE CONFIADO DEMASIADO EN MI SUERRTE...!
¿Y AHORRA QUÉ...?

DEMASIADOS AGENTES HAN TENIDO CONTACTO CONTIGO Y HAN MUERTO O, LO QUE ES PEOR, SE HAN PASADO A LOS ROJOS... ASÍ QUE...

VAS A PAGARLOOOOOOOOOOH! ¡OH, QUÉ MAREO...!
AF 35

¿IRÁ LA MADRE DEL SR. SMITH A CUIDAR DE SU RETOÑO ENFERMO...? ¿SERÁN SUFICIENTES LOS CUIDADOS DE DOS MUJERES PARA QUE EL SR. SMITH VUELVA A LA ARENA EDITORIAL...?

¿SERÁ UN CUENTO TODO LO QUE TIENE EL SR. SMITH...?

BAAAH! DEMASIADAS PREGUNTAS QUE, COMO DE COSTUMBRE, TAMPOCO SERÁN RESUELTAS EN EL FULGURANTE CAPÍTULO:

"TRAS EL CULO DE ASIMOV"

Resumen: La fiebre ha dado al Sr. Smith un respiro laboral. Pero, una vez repuesto, el deber lo llama. Y su Presidente también.

Episodio 9:

Tras el culo de Asimov

¡Culo...! ¡Ha dicho culo...! ¿Será posible...?

+3.08 Hora Estándar...
El capitán de corbeta Htims, desde su nave hiperlumínica, procede al sondeo de la superficie estéril del planetoide SU³.
Lo que otrora fuese un oasis en medio del Sistema Lesbos, muestra en pantalla un aspecto desolador...
Las hordas de piratas misoginones han esquilmado el pequeño mundo hasta dejarlo hecho un mísero cagarro estelar...
Localizado asentamiento misoginón...
¡Bien, procedamos con cautela...!
USS Colorado
Aurora, activa los sistemas de sigilo y aterriza donde podamos ocultar la nave...
Oído cocina...
¡Vamos allá...!

FSSSSSSH
Aurora, no me pierdas de vista... En cuanto vuelva salimos pitando...
Suerte, capitán...
SHHHHH!
¡No la necesito...!
+3.43 Hora Estándar...
Llegado hasta la guarida pirata, el capitán Htims localiza el punto exacto del muro que le permita acceder silenciosamente al interior sin ser detectado...
Blup Blup
Click
POW!
AF 39

!
BOOM!
¡MECACHIS, ¿ME HABRÉ PASADO CON EL EXPLOSIVO...?!

AY!
¡MI COCINA...! ¡MI COCINA...! ¡MALDITO GAS...! ¡QUÉ DESASTRE...!
COF! COF! COF!
?
¡PERO, QUE COJONES...! ¡¿QUE COÑO HA HECHO...?! ¡¿POR QUE NO LLAMA A LA PUTA PUERTA, COMO TODO EL MUNDO...?!
¡JODER, QUE DESTROZO...!
¡ADIÓS AL FACTOR SORPRESA!
¡OIGA, MODERE SU LENGUAJE, QUE HAY UNA DAMA DELANTE...! POR CIERTO, HE VENIDO A LIBERARLA, SEÑORITA...
¡VAYA, HOMBRE...!

¿Algún problema...?
¡Santo Universo, nooo...! ¡Por fin buenas noticias...!
¡Desde que la raptamos no hemos hecho más que lamentarlo...! ¡No conseguimos negociar un rescate decente, y un secuestro que se precie cuesta dinerito...!
¡Esta tipa zampa lo que no está escrito...! ¡Además nos ha desplumado en las timbas que organizamos para matar el tiempo...!
¡Y no ayuda nada en la guarida...! ¡No cocina, no limpia, no lava, no plancha...! ¡Sólo se dedica a ver la holovisión y a remolonear en el catre hasta tarde...!
¡Y es una impertinente y una mal educada...! ¡No pide las cosas "por favor"...!
Así que, ¡llévesela y bien lejos...!
¿No cambiarán de idea y nos perseguirán en nuestra huida, cosa muy típica de piratas...
Y gentes de baja ralea...?
¡Gñ!
¿No has oído...? ¡Largo de aquí, tirillas...!
¡A la mierda!

¿Llegará el Sr. Smith a cogerle gusto a la Ciencia Ficción? ¿Superará su aversión al género? ¿Retornará a los clásicos...? Lo sabremos en el siguiente episodio:

"No sin mi cabellera"

QUE LE TENGO MUCHO CARIÑO...

Resumen: A LA ESPERA DE QUE LA SUBIDA DE SUELDO DE SILVERSTONE BOOKS LE PERMITA COMPRARSE UN CORVETTE, EL SR. SMITH RELEE LA HISTORIA DE LOS PRIMEROS COLONOS AMERICANOS... LA CIENCIA FICCIÓN PUEDE ESPERAR...

Los primeros colonos en suelo norteamericano, en su mayoría emigrantes ingleses, buscaron un nuevo territorio donde comenzar una nueva vida, lejos de las disensiones religiosas de Europa.

Pese a que el trato inicial con los indígenas fue pacífico, este no estuvo exento de enfrentamientos que...

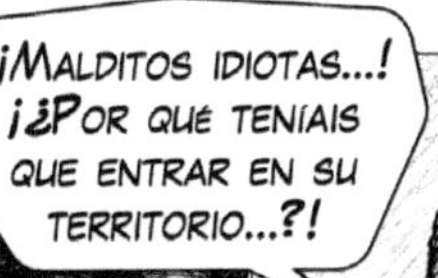

PAW! PAW! PAW!
AY!
UY! ¡ESO DEBE DOLER...!
¡NO PARECE QUE CONSIGA CONVENCERLOS...!
¿ALGUIEN TIENE UN PLAN B, DEL TIPO "PIPA DE LA PAZ" O SIMILAR...?

¡¡NOS SUPERAN EN NÚMERO...!! ¡¡Y ESTAN ASALTANDO LA EMPALIZADA...!!
PAW!

ESTE TIO ES UN GAFE... ¡SÓLO TRAE MALAS NOTICIAS...!

¡¡PÓLVORA, NECESITAMOS PÓLVORA...!!
PAW!
PAW!
PAW!

¡Adelante, mi alegre muchachada...!
PAW!
PAW!
PAW!
ARG!

¡CORRA, SEÑORITA, CORRA...!
PAW!
PAW!

¡Rápido, escóndase dentro...!
Paw!
Paw!
Ay!Ay!
Paw!
¡Oh, Dios, tengo tanto miedo...! ¿Qué nos van a hacer...?
¡Probablemente nos maten, pero antes se ensañarán con los hombres y nos cortarán la cabellera...! ¡Y a las mujeres las violarán y, si no las matan, las llevarán a su poblado para seguir violándolas, día tras día, hasta someterlas contra su voluntad...!
¡No deje que me hagan eso, señor...!
¡No he conocido varón...!
¡No permita que sean unos salvajes quienes arranquen mi flor...!
¡Por favor, tómeme, se lo suplico...!
¡Prefiero que sea un hombre blanco quien lo haga...!
Glups!
¡Eh, mirad...!
¡Increíble...! ¡Vaya momento han elegido estos dos para darle al frote...!
¿Os habéis fijado...? ¡Los blancos tienen demasiado pelo en el culo...!
¡Y en la cabeza...! ¡Pero eso tiene solución...!
Gñ!
Ah!Ah!
45

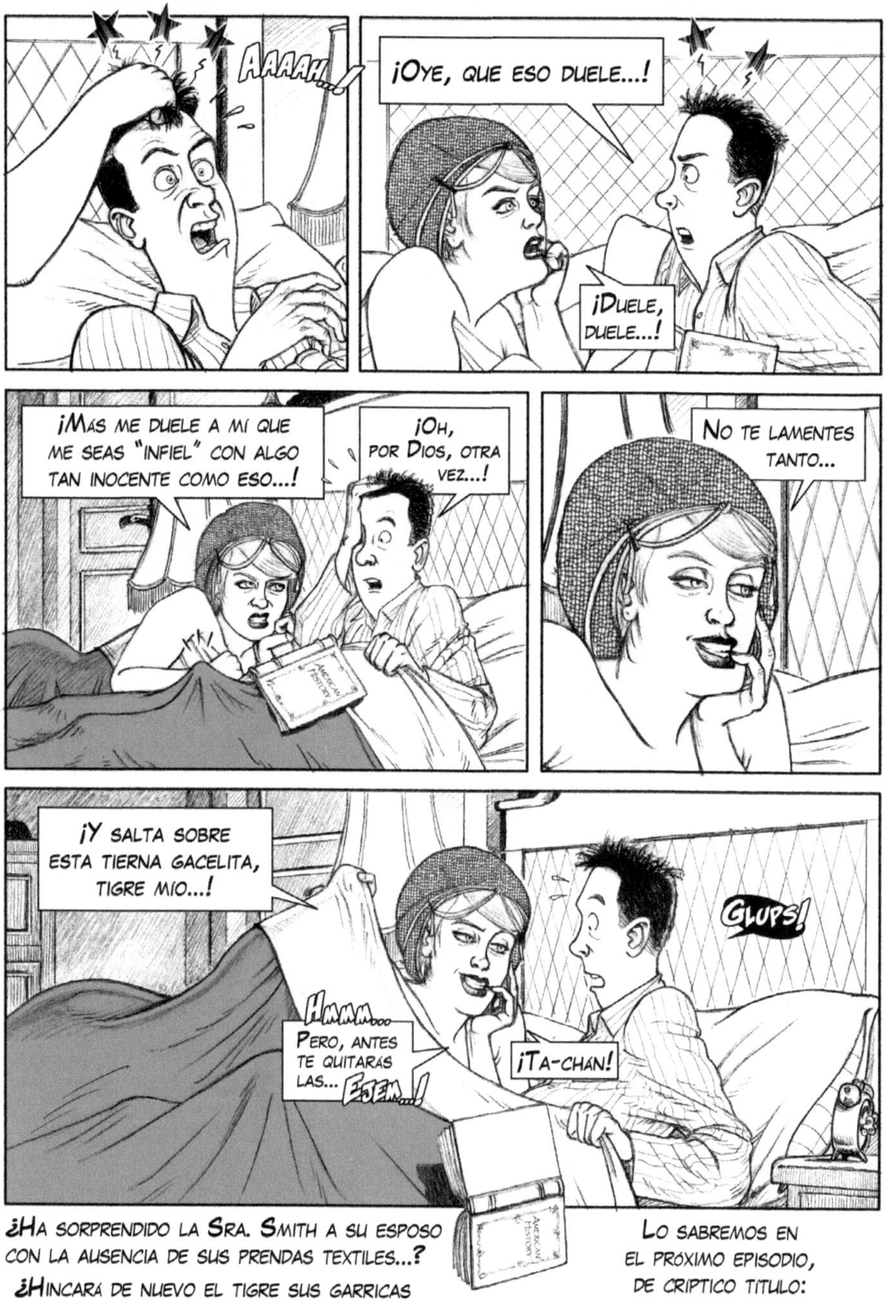

AAAAH...!

¡OYE, QUE ESO DUELE...!

¡DUELE, DUELE...!

¡MÁS ME DUELE A MÍ QUE ME SEAS "INFIEL" CON ALGO TAN INOCENTE COMO ESO...!

¡OH, POR DIOS, OTRA VEZ...!

AMERICAN HISTORY

NO TE LAMENTES TANTO...

¿HA SORPRENDIDO LA SRA. SMITH A SU ESPOSO CON LA AUSENCIA DE SUS PRENDAS TEXTILES...?

¿HINCARÁ DE NUEVO EL TIGRE SUS GARRICAS EN LAS MAGRAS CARNES DE LA GACELILLA...?

¿DEJARÁ ALGO PARA MAÑANA...?

LO SABREMOS EN EL PRÓXIMO EPISODIO, DE CRÍPTICO TÍTULO:

"G.N.G."

Episodio 11: ¿AHORA VIENEN LOS ACRONIMOS?

G. N. G.

Resumencillo: EL MATRIMONIO SMITH HA DISFRUTADO DE UN FIN DE SEMANA SALVAJE Y PASIONAL.

CLACK!

Esto no es nada... Cuando juegue en un auténtico campo de golf inglés verán la diferencia...

¡Caballeros, esta vez la derrota inglesa es un hecho...! Lo que no logramos desde el aire con la aviación, los bombardeos y las bombas volantes, lo conseguiremos desde sus cloacas...

Nuestros laboratorios están a punto de obtener un compuesto químico que multiplicará exponencialmente el número de las ratas inglesas y las inmunizará contra los plaguicidas comunes...
Contaremos con una quinta columna ratonil que minará la moral del enemigo inglés...
329

Pero, señor, ¿y si ellos las combaten con sus gatos..?

No hay problema... El mismo compuesto acabará con la amenaza...

¿Quiere decir que... que eliminará a... a sus gatitos..?
GULP!

¿¡Por quién me toma...!? ¿¡Por un monstruo...!?

¡La historia nunca nos perdonaría semejante crimen...! ¡El Führer no lo permitiría, jamás...!

Esa droga sólo ahuyentará a los gatitos que se acerquen a nuestras ratas...

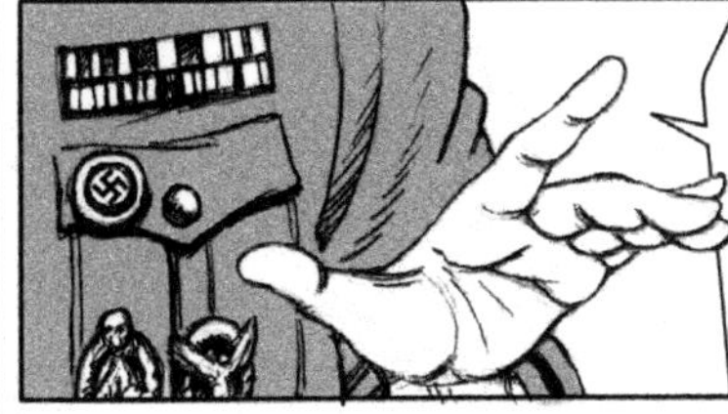
Comprenderán que para el éxito de la operación debe permanecer en absoluto secreto...

Somos una tumba...
Nuestro silencio es a prueba de bombas...

Ziuuu!
BOOOM!!

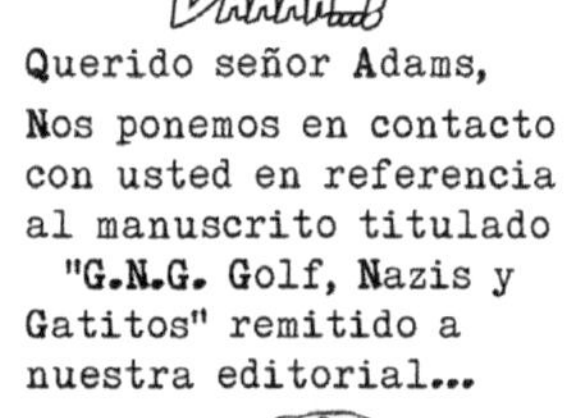

PUES NO, SR. ADAMS, NO LES HA GUSTADO, NADA...
Y EN EL CENTRO SIMON WIESENTHAL TODAVÍA MENOS.
EN TODO CASO, ¿LLEGARÁ EL SR. SMITH A DESCUBRIR ALGUNA VEZ EL PRÓXIMO ÉXITO EDITORIAL DEL AÑO...?
TAL VEZ EN EL SIGUIENTE EPISODIO:

"ARQUITECTOS CONTRA LA LEY DE LA GRAVEDAD"

Episodio 12:

ARQUITECTOS contra LA LEY DE LA GRAVEDAD

Y EL MAL GUSTO

Resumen: TRAS LA LECTURA DE ABSURDAS NOVELUCHAS DE TRES AL CUARTO, CON PLANES NAZI-GOLFISTAS INCLUIDOS, EL SR. SMITH RETOMA LOS QUEHACERES DOMÉSTICOS...

LA LÁMINA DE AGUA DE LA PISCINA, AL BORDE DEL ACANTILADO, DARÁ IMPRESIÓN DE CONTINUIDAD AL CONJUNTO, DE MANERA TAL QUE CREERÁN QUE EL OCÉANO FORMA PARTE DE SU CASA...

AF 51

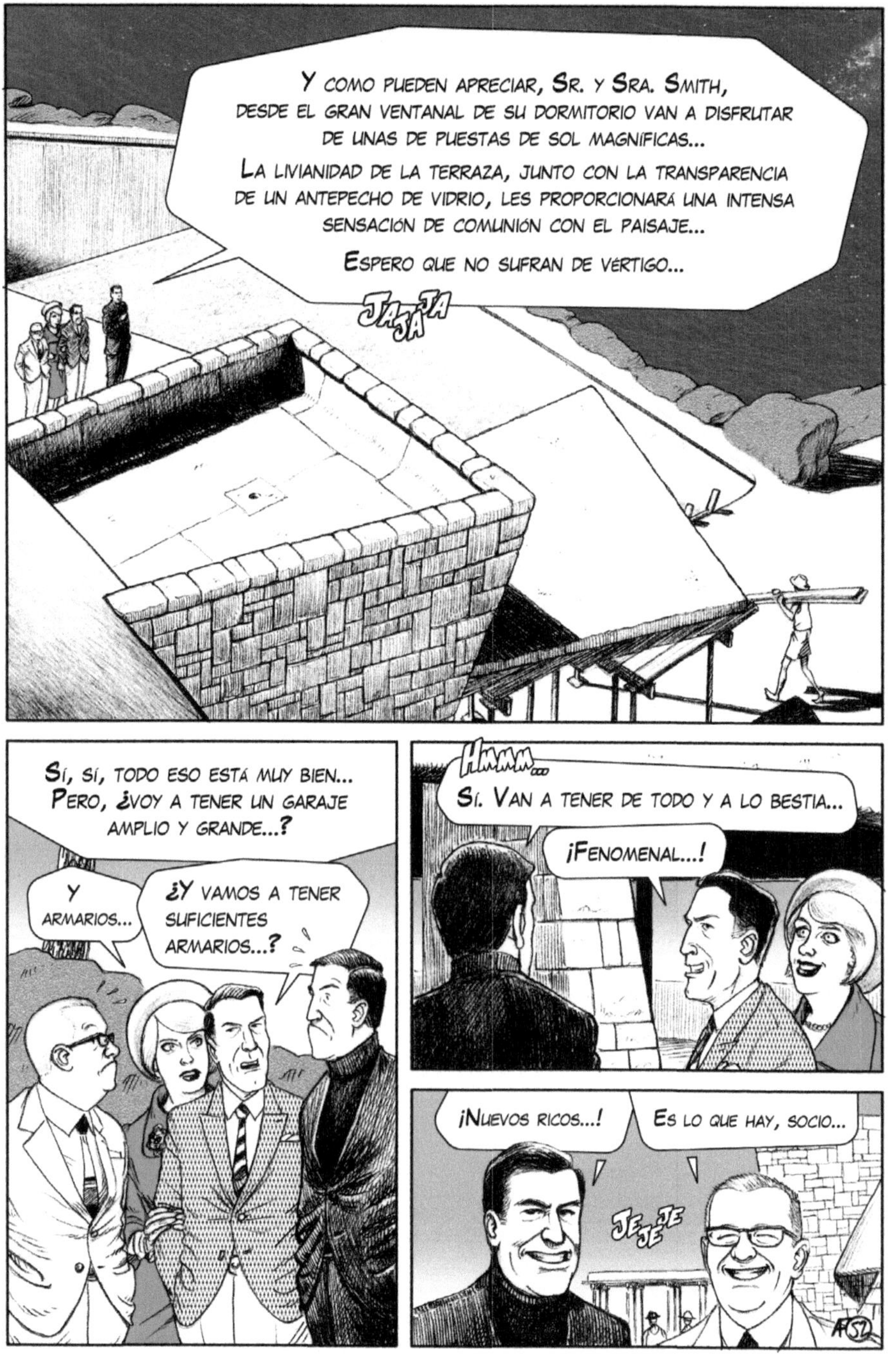

Y como pueden apreciar, Sr. y Sra. Smith,
desde el gran ventanal de su dormitorio van a disfrutar
de unas de puestas de sol magníficas...
La livianidad de la terraza, junto con la transparencia
de un antepecho de vidrio, les proporcionará una intensa
sensación de comunión con el paisaje...
Espero que no sufran de vértigo...

JA JA JA

SEÑORES ARQUITECTOS, TENEMOS UN "PROBLEMILLA..." LOS OPERARIOS SE NIEGAN A DESAPUNTALAR EL VUELO DEL DORMITORIO... DICEN QUE ES DEMASIADO AUDAZ... TIENEN MIEDO DE QUE SE LES VENGA TODO ENCIMA...

¡NO HAY RECOMPENSA SI NO SE ARRIESGA! ¡DADME UN MAZO, PANDILLA DE NENAZAS...!
¡SOCIO, NO TE DEJES EL CASCO...!
¿USTED NO LO ACOMPAÑA...?
BAH!
¡SE BASTA ÉL SÓLO...!

¡POR WRIGTH...!
CLANK!
CLANK!
CLONK!
¡POR MIES...!
CLONK!
CLANK!
CLONK!
¡POR "EL CORBU"...!
CLONK!
CLANK!
CLONK!

¿ABANDONARÁ EL SR. SMITH SU PRÓSPERA CARRERA DE CAZATALENTOS LITERARIO PARA DEDICARSE A LA ARQUITECTURA...? ¿SE CONVERTIRÁ EN EL PRÓXIMO RICHARD NEUTRA...? BAHHHHH! ¡NO DIVAGUEN, SEÑORES...! EL SR. SMITH NUNCA ESCAPARÁ DE SUS DOS DIMENSIONES... MÁS QUE SUFICIENTES PARA ENFRENTARSE AL SIGUIENTE EPISODIO:

"DRAGONES Y MAZORCAS"

Resumen: Convencido de que la arquitectura no es lo suyo, ahora el Sr. Smith flirtea con las aventuras épicas de porte caballeresco... O eso parece...

Episodio Final: Dragones y Mazorcas

¿Mazorcas...? Esto no puede traer nada bueno. ¡Ay...!

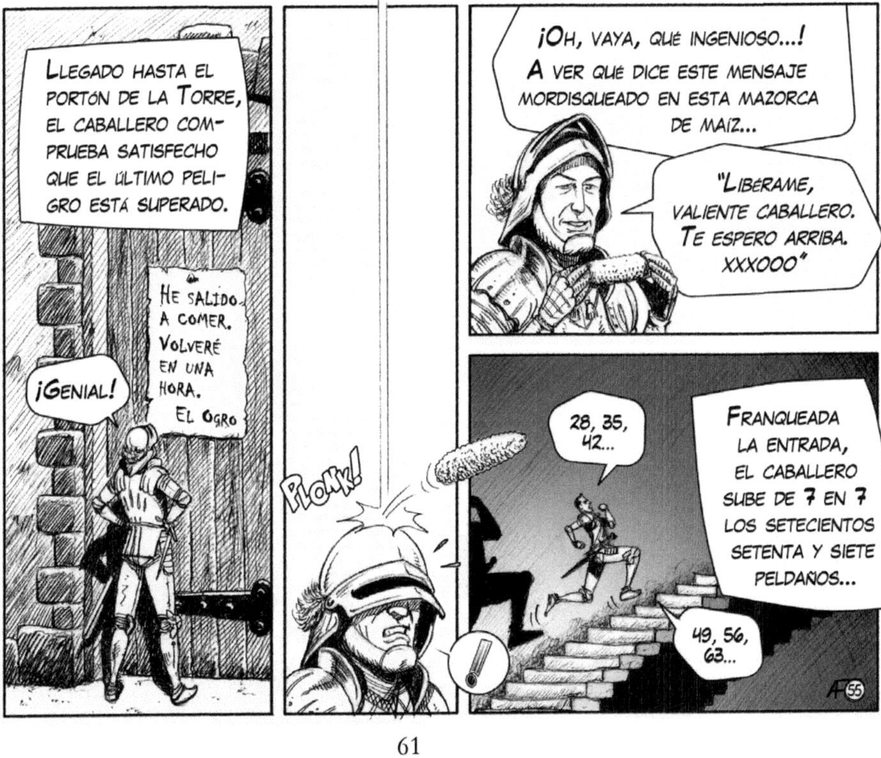

Llegado hasta el portón de la Torre, el caballero comprueba satisfecho que el último peligro está superado.

He salido a comer. Volveré en una hora. El Ogro

¡Genial!

Plonk!

!

¡Oh, vaya, qué ingenioso...! A ver qué dice este mensaje mordisqueado en esta mazorca de maíz...

"Libérame, valiente caballero. Te espero arriba. XXXOOO"

Franqueada la entrada, el caballero sube de 7 en 7 los setecientos setenta y siete peldaños...

28, 35, 42...

49, 56, 63...

EL SR. SMITH, RUMBO A LA CAMA, SE PREGUNTA POR QUÉ SUS LECTURAS NO PUEDEN RESULTARLE TAN INOCENTES COMO LAS DE LOS CUENTOS PARA NIÑOS.

¿SE LO DESVELARÁ SU ÁLTER EGO EN SUEÑOS...?

PUES ME PARECE QUE NO LLEGAREMOS A SABERLO, PORQUE ESTE LIBRILLO ACABA AQUÍ:

FIN

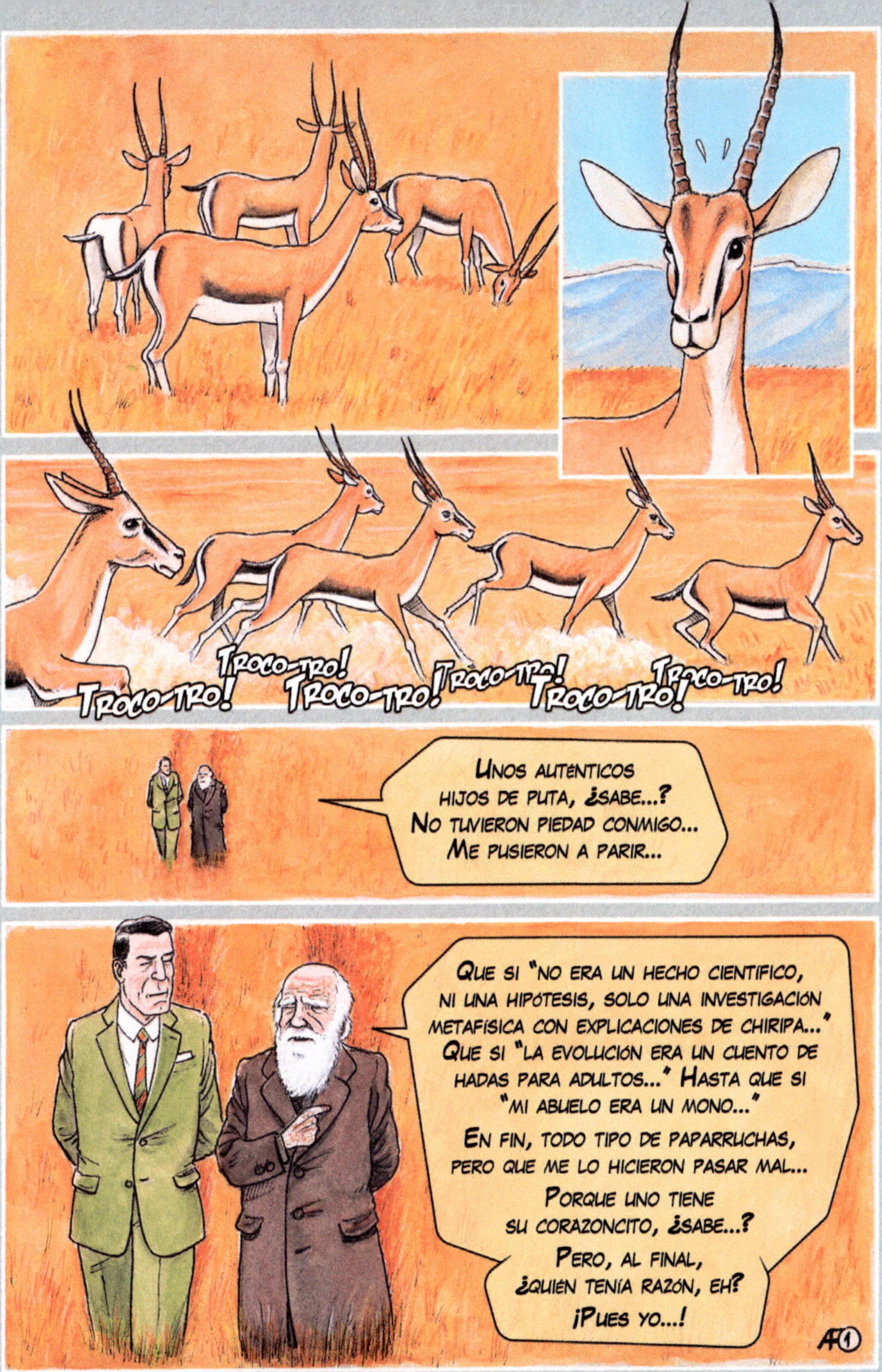

Troco-tro!
Troco-tro!
Troco-tro!
Troco-tro!
Troco-tro!
Troco-tro!

Unos auténticos hijos de puta, ¿sabe...? No tuvieron piedad conmigo... Me pusieron a parir...

El Episodio Inédito:

HACE UNA PORRADA DE AÑOS

O más, vaya usted a saber...

¡Vaya marrón, Walter...! ¿Qué hacer? ¿Largarse o salvar a la chica...? ¿Ser un gallina o un valiente...?
Podríamos llamar a los bomberos...

¿Estás de broma, Walter...? ¡Esto no es como bajar un gatito de un árbol!

¡Cierto! ¡Aquí se necesita a alguien que cruce esa cordillera, se enfrente a los monstruos que seguro se ocultan al otro lado, rescate a la moceta y vuelva de una pieza...! ¡Es una gesta propia de héroes...!

¿Alguien quiere acompañarme...?
Ay!
¡Qué rabia...! ¡Estamos de trabajo hasta arriba...! ¡Lástima!
¿Nadie desea compartir la gloria conmigo...?
Bah, bah, bah...!
¡Walter, te la mereces toda para ti...!

Hmmm...
Gracias, chicos...
CORDILLERA PROHIBIDA
VUELVA POR DONDE VINO SI APRECIA EN ALGO SUS PARTES
CUIDADO CON EL PRESIDENTE MUERDE QUE SE LAS PELA

ZZZZZ...
ZZZZZ...
ZZZZZ...
!
CROOOOT!!!

¿Sube...?

Tranquila, querida...
Ha llegado la caballería...

¡Que tenga un buen día...!

¡Cordera, cómo pesas!

¡Tus buenos mamuts te habrás zampado...!

Oh, oh!
¡No podía ser tan fácil!

¡Smith, ¿qué demonios hace...?!
GROAAARRRR!!!
¿A usted qué le parece...?
¡Correr!

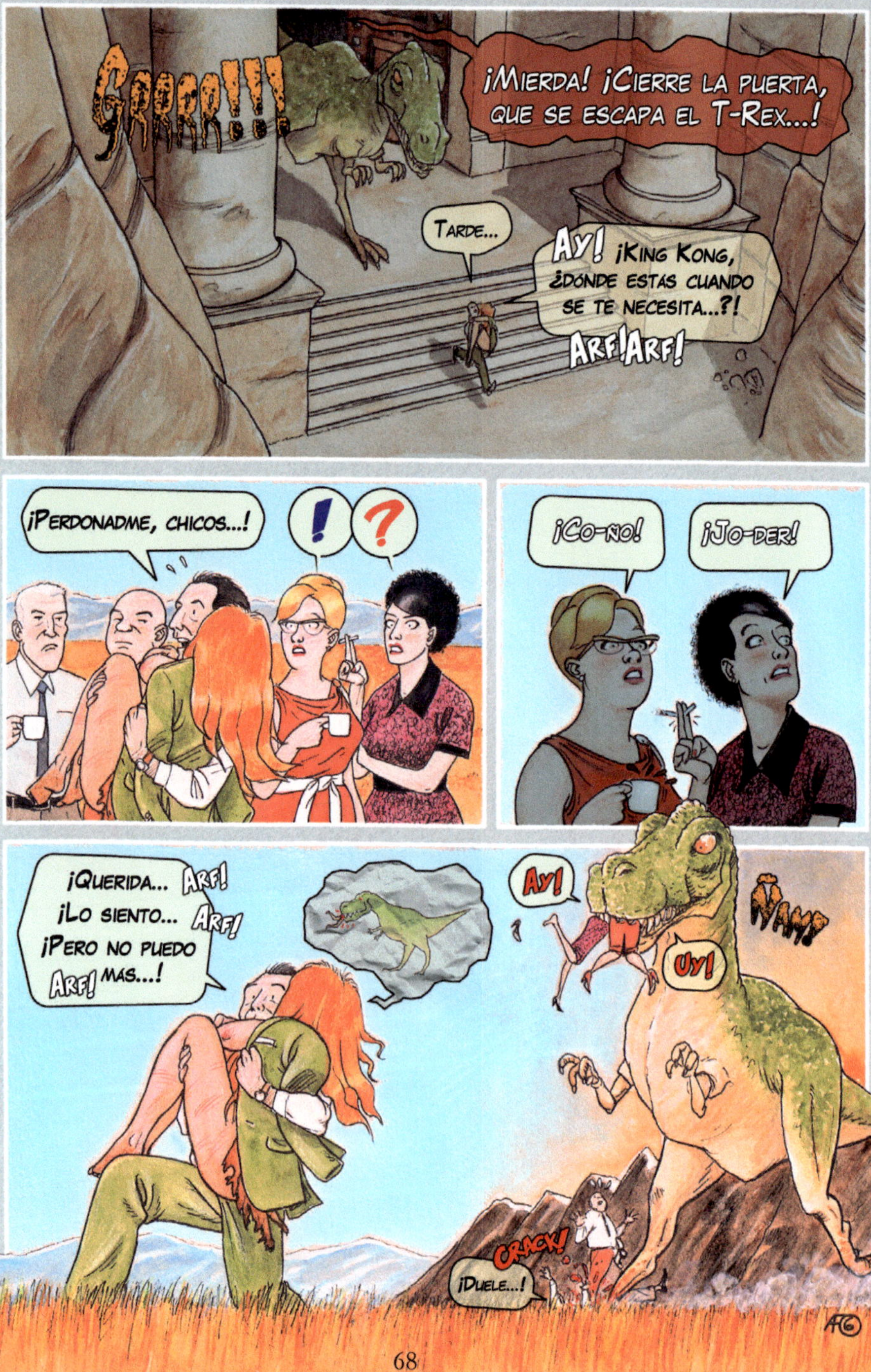

¡PERDONADME, CHICOS...!

!

?

¡CO-ÑO!

¡JO-DER!

¡QUERIDA... ARF! ¡LO SIENTO... ARF! ¡PERO NO PUEDO ARF! MÁS...!

AY!

ÑAM!

UY!

CRACK!

¡DUELE...!

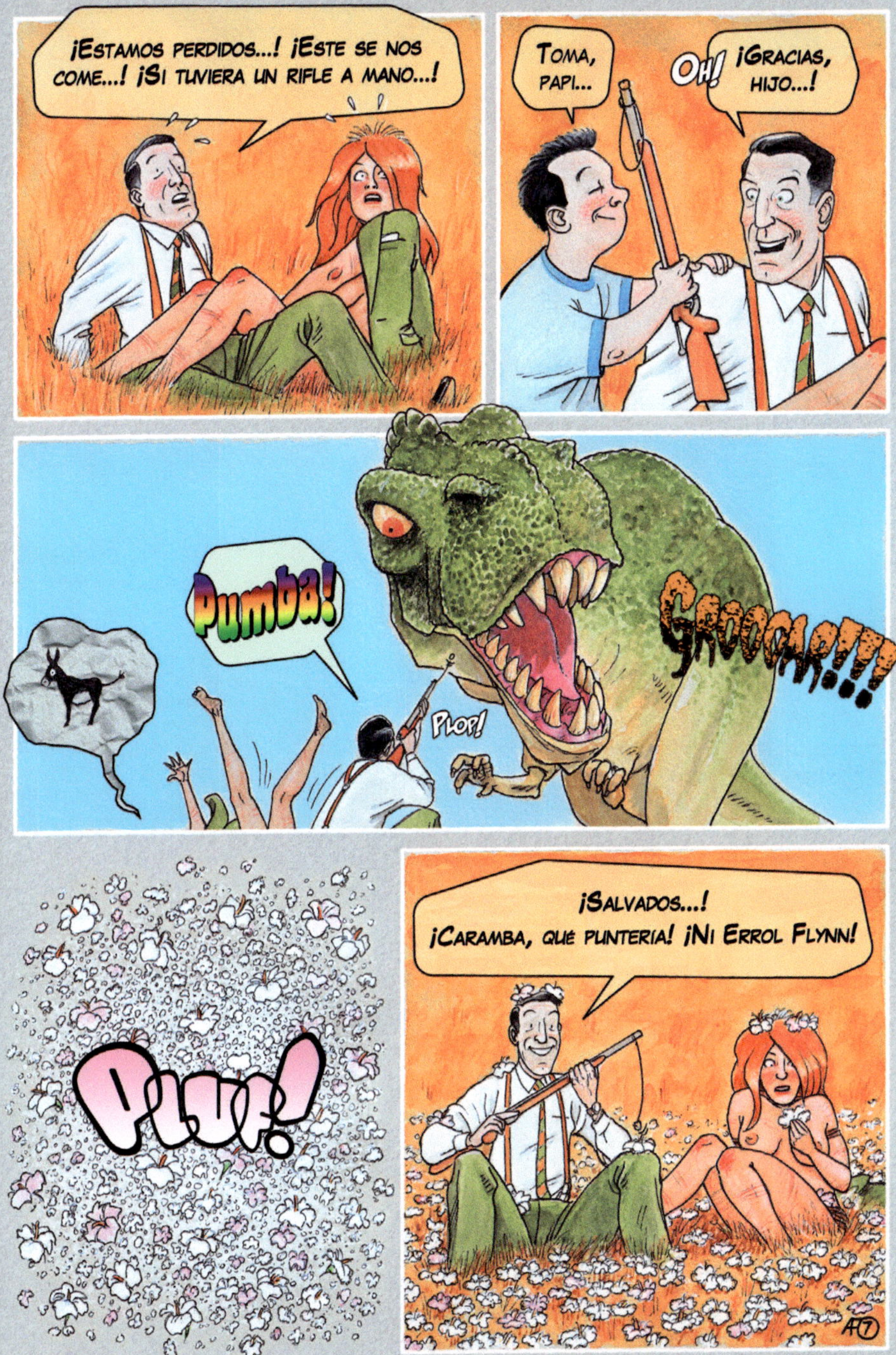

¡Estamos perdidos...! ¡Este se nos come...! ¡Si tuviera un rifle a mano...!

Toma, papi...

Oh! ¡Gracias, hijo...!

Pumba!

Plop!

Grooar!!!

¿No habrás pasado miedo, pequeña? Tranquila, aquí tienes a todo un hombre...
Hmmm... Se me ocurre que, podríamos... Ya sabes...
!
Plas!
¡Despierta!
¡No tienes arreglo! ¿A ver qué tocaba esta vez? ¡¿"Prehistoria y evolución humana contada para legos"?! ¡Walter, estás enfermo...!
Mamá, ¿a papá le ha picado un bicho...?
¡No, es que ha evolucionado poco...!
¡Córcholis! ¡Otra vez...!
Del sílex a la bomba atómica, ¿ha cambiado realmente el hombre...? ¿O sigue siendo un animalico encelado...? El Sr. Smith no lo tiene claro, pero esta noche no va a tentar a la suerte. Estas lecturas le acaban produciendo dolor de cabeza. Y tanto golpe no puede ser bueno...

Las apasionantes lecturas del Sr. Smith